Na, Il Sung
    Zzzz. Y ellos... ¿cómo duermen? - 1a ed. - Buenos Aires: Unaluna, 2009.
    24 p.: il.; 25,5 x 25,5 cm.

    Traducido por: Jeannine Emery

    ISBN 978-987-1296-57-6

    1. Literatura Infantil Coreana. I. Jeannine Emery, trad. II. Título
    CDD 895.7

Título Original: *Zzzzz: A Book of Sleep*

Traductor: Jeannine Emery

ISBN: 978-987-1296-57-6

© Editorial Heliasta S.R.L., 2009
Texto e ilustraciones © Il Sung Na, 2007

Publicado mediante acuerdo con Meadowside Children's Books,
185 Fleet Street, London EC4A 2HS

Distribuidores exclusivos: Editorial Heliasta S.R.L.
Juncal 3451 (C1425AYT) Buenos Aires, Argentina
Teléfono - Fax: (54-11) 4804-0472 / 0119 / 8757 / 0215
editorial@unaluna.com.ar / www.unaluna.com.ar

Queda hecho el depósito que establece la Ley 11.723.
Libro de edición argentina.
Impreso en China, marzo 2009.

ZZZzz

Y ellos… ¿cómo duermen?

Il Sung Na

unaluna

Cuando el cielo oscurece,
y la luz de la Luna resplandece,
todos duermen...

...salvo el búho mirón.

Algunos duermen
quietos y en silencio,

otros hacen mucho ruido
al dormir.

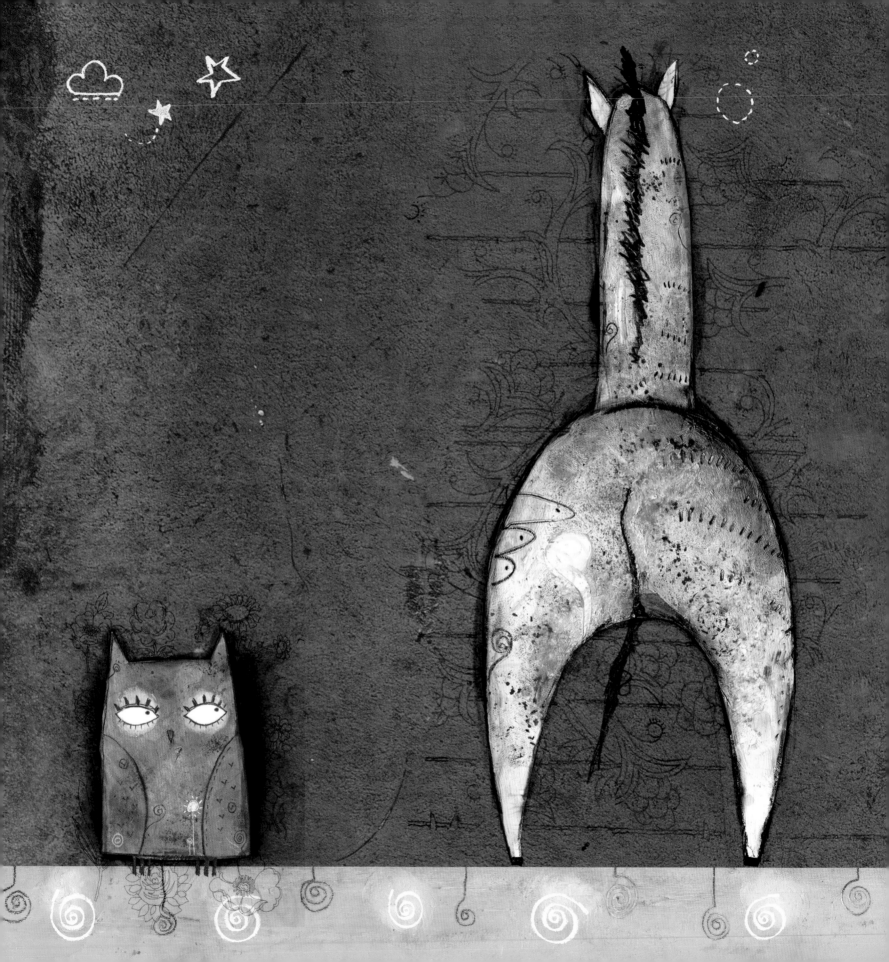

Algunos duermen de pie,

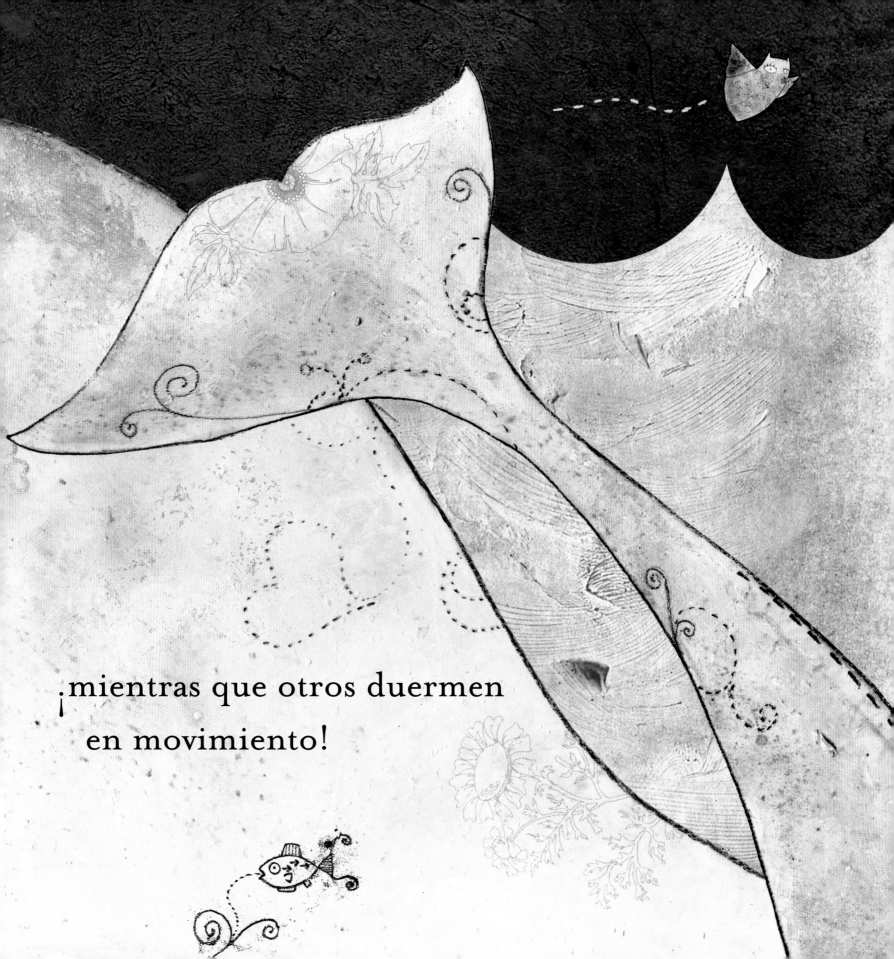

¡mientras que otros duermen
en movimiento!

Algunos duermen
con un ojo abierto,

otros duermen con los dos ojos abiertos...

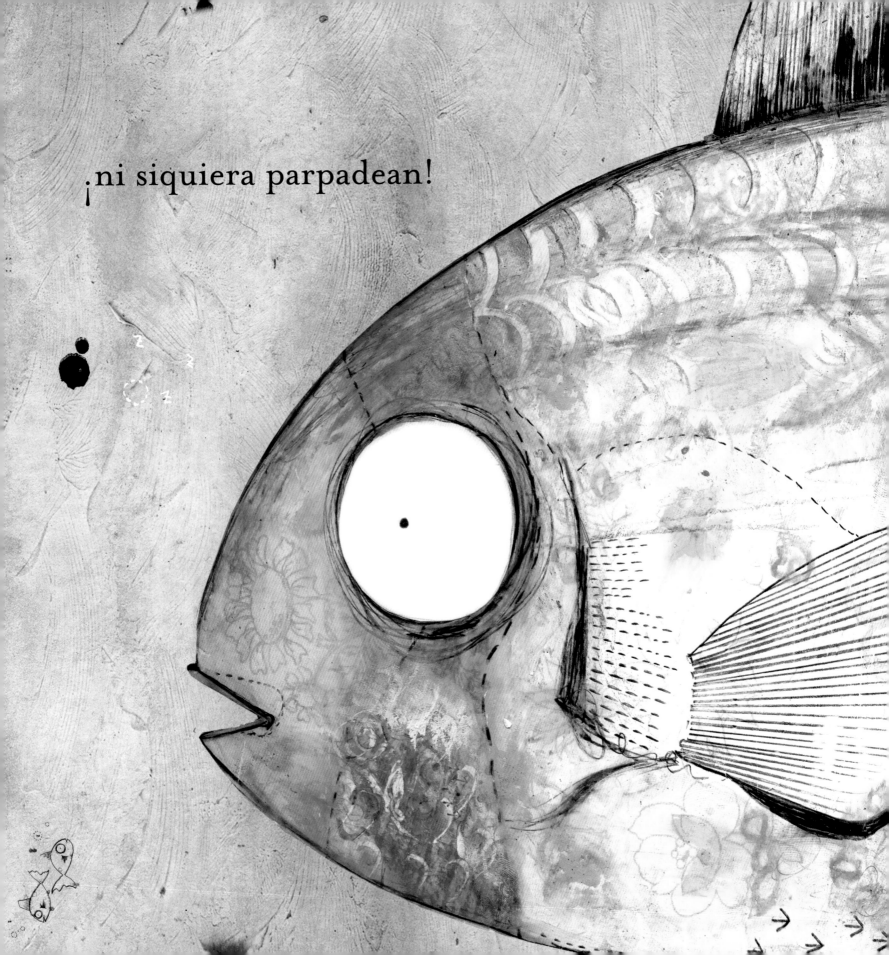

Algunos duermen plácidamente solos,

mientras que otros duermen

amontonados,

acurrucándose de noche

unos juntos a otros.

Pero cuando aclara el cielo
y asoma el Sol…

¡todos despiertan!

Salvo el búho fatigado.

ZZz

Para Mamá y Papá